IORWERTH A'R MÔR-LADRON

Stori a lluniau gan Val Biro

Trosiad gan Emily Huws

DREF WEN

ROEDD LLYWELYN AP RHYDDERCH yn eistedd yn Iorwerth, ei gar henffasiwn ffyddlon. Yn y cefn roedd ei ŵyr Huw a Shadrach y ci. Roedden nhw'n cael picnic ar lan y môr, ac felly fe ddylen nhw fod yn mwynhau eu hunain.

Ond yn anffodus roedd hi'n bwrw hen wragedd a ffyn — y glaw yn dymchwel i lawr a hwythau ar eu gwyliau yng nghanol mis Gorffennaf. Roedden nhw wedi hen laru ac yn teimlo'n ddigalon iawn.

"Hitia befo," meddai Llywelyn ap Rhydderch gan geisio codi calon Huw. "Pam na wnei di ddychmygu ei bod hi'n haul braf ac nad ydi'r darnau pres sydd ar y car yma ddim yn troi'n wyrdd yn yr holl law?" Roedd o'n gwybod fod Huw yn un da am ddychmygu pethau. Felly gadawodd lonydd iddo a dal ati i fwyta.

A dyna Huw yn dychmygu fod yr haul yn tywynnu'n braf — yn union fel ag yr oedd o'n tywynnu yn y llyfr yr oedd o'n ei ddarllen. Llyfr yn sôn am fôr-leidr o'r enw Rhodri Lawgoch oedd o, a Huw newydd gyrraedd y rhan gyffrous. Sylwodd o ddim fod Shadrach wedi dwyn ei frechdan, ond FE glywodd y ci yn dechrau cyfarth yn llawen. Cododd Huw ei lygaid, ac er mawr syndod a rhyfeddod iddo gwelodd fod . . .

. . . yr haul yn tywynnu a Shadrach yn chwarae yn hapus braf ar y gwair. Am funud, meddyliodd Huw mai dim ond dychmygu roedd o, ond dyna lle'r oedd Llywelyn ap Rhydderch wedi dod o'r car ac yn crwydro yn yr heulwen gynnes.

Felly neidiodd Huw allan o'r car a rhedeg i lawr at y traeth. Wrth iddo gyrraedd yno, cafodd andros o sioc.

"*Edrychwch* beth sydd yn y fan yna!" bloeddiodd.

Roedd llong enfawr wedi ymddangos yn sydyn yn y bae; llong môr-ladron a baner ddu ar yr hwylbren. Llong yn union fel yr un oedd yn llyfr Huw, ond roedd hon yn hwylio'n syth tuag atynt!

"O! Rachlod! Môr-ladron!" gwaeddodd Llywelyn ap Rhydderch. "Mae môr-ladron yn beryglus ac mae'r criw ar fwrdd y llong yna'n edrych yn hynod o filain. Tyrd yn dy flaen, Huw! Brysia, Shadrach! Dowch yn ôl i'r car ar frys!"

Erbyn hyn roedd y llong wedi angori a'r môr-ladron yn dod i'r lan. Rhodri Lawgoch, y capten, oedd yn eu harwain. Roedden nhw'n griw ffyrnig eithriadol yr olwg, ond pan welson nhw'r car, rhedodd pawb i guddio mewn arswyd. Rhaid eu bod nhw'n meddwl mai anghenfil môr oedd Iorwerth.

Fe fyddai Rhodri Lawgoch wedi dianc hefyd ond baglodd ar draws ei gleddyf a syrthio ar ei hyd. Llithrodd y clwt du a wisgai dros un llygad, ac yn awr gallai weld y car yn glir.

"Nid anghenfil ydi hwnna!" bloeddiodd. "Coets heb geffyl ydi hi."

Roedd yn dda iawn gan y môr-ladron eraill glywed nad oedd ceffyl yn tynnu'r goets ryfedd, felly daeth pawb o'u cuddfan.

"Gwyliwch chi!" rhybuddiodd Llywelyn ap Rhydderch. "Mae nerth *deuddeg* ceffyl yng nghrombil hwn!" Cyflymodd y peiriant i brofi mor ffyrnig oedden nhw, a chwarae teg iddo, gwnaeth Iorwerth sŵn cicio ofnadwy.

Roedd y môr-ladron wedi bod ar y môr am ddeuddeng mlynedd heb weld yr un ceffyl ac roedd arnynt ofn trwy waed eu calonnau. Felly dihangodd pawb nerth eu traed drachefn.

Daeth Llywelyn o'r car a chynnig, "Mi gadwaf i drefn ar fy ngheffylau os gwnewch chi i gyd beidio â chyffwrdd fy nghar i."

Tawelodd y môr-ladron gan addo ymddwyn yn iawn a chytuno i fod yn ffrindiau. Dyna Llywelyn ap Rhydderch a Rhodri Lawgoch yn ysgwyd llaw.

Cyflwynodd y capten ei ddynion. "Yr un tal yma ydi Wil Bach, a Ned Hir ydi'r un byr. Llew Fain ydi hwn a dyma Gwallter yr un heb wallt, a Jac Coes Bren ydi'r un â'r goes bren." Yna rhoddodd Rhodri Lawgoch ei het fôr-leidr i Huw i ddangos eu bod nhw'n ffrindiau.

"Gwrandewch!" meddai'r capten. "Wedi dod yma i nôl ein trysor cudd ydan ni. Ond mae Capten Dafydd Ddu, fy ngelyn pennaf i, ar ei ffordd yma hefyd. Mae'n rhaid inni frysio rhag iddo achub y blaen arnon ni!"

"Beth am fynd â nhw yn y car!" gwaeddodd Huw, gan roi'r het fawr am ei ben. "Rydw innau'n fôr-leidr rŵan a rydan ni'n ffrindiau."

Cytunodd Llywelyn ap Rhydderch ar unwaith ac agor to'r car. I mewn â'r môr-ladron yn un haid ar draws ei gilydd. "Daliwch eich gafael!" bloeddiodd Llywelyn ap Rhydderch, ac i ffwrdd â nhw nes cyrraedd bae arall. Wil Bach oedd yn cario'r ysbienddrych gan mai ef oedd y talaf. Yn sydyn gwaeddodd, "Llong! Llong yn y bae!"

Roedd llong môr-ladron anferth arall wedi angori yno. “Llong Dafydd Ddu ydi hi, myn brain i!” rhuodd Rhodri Lawgoch. “Mae’r dihiryn wedi cyrraedd o’n blaenau ni. Ar eu holau nhw, fechgyn!” Rhuthrodd pawb allan o’r car i chwilio am y gelyn.

Ond doedd dim arlliw o neb yn y golwg. “Maen nhw’n chwilio am fy nhrysor i!” llefodd Rhodri Lawgoch. “Ond wn i ddim ymhle!” Roedd o’n fôr-leidr blêr iawn, wedi colli’i fap ac wedi anghofio’r ffordd. Felly, dyma fo’n dechrau beichio crio.

"O ble yn y byd mawr y daeth hon?" gofynnodd Huw gan godi pluen.

"Pluen parot ydi hi!" gwaeddodd Gwallter.

"Ond does yna ddim parot yma!" meddai Jac Coes Bren.

"Mae gan Dafydd Ddu barot," meddai Llew Fain.

"Fe wn i beth wnawn ni," meddai Llywelyn ap Rhydderch. "Fe gaiff fy nghi i chwilio am y parot." Synhwyrodd Shadrach y bluen a dechrau chwyrnu. Roedd o'n casáu pob parot â chas perffaith. "Chwilia amdano fo!" meddai Llywelyn. Ac i ffwrdd â Shadrach ar wib.

"Ar ei ôl o!" gwaeddodd y môr-ladron a neidiodd pawb i mewn i'r car. Roedd yn rhaid gyrru'n gyflym i ddilyn Shadrach ac yntau'n gwibio fel milgi ar y trywydd. Chwifiodd y môr-ladron eu cleddyfau a gweiddi, "Ar ei ôl o! Daliwch y parot!" Roedd Llywelyn ap Rhydderch yn canu'r corn a Iorwerth yn llamu ymlaen fel ceffyl hela.

Roedd Shadrach yn gwybod yn union i ble'r oedd y parot wedi mynd a gwibiodd ymlaen fel mellten. Yn sydyn, stopiodd yn stond, ei drwyn yn ffroeni'r awyr a'i gorff yn gryndod i gyd. Symudodd y llwyni o'i flaen ac allan o'r coed daeth . . .

. . . y parot. Roedd o ar ysgwydd Dafydd Ddu. Ac o amgylch Dafydd Ddu roedd criw o fôr-ladron milain a dau o'r rhai mwyaf ffyrnig yn cario cist anferth.

“Fy nhrysor i ydi hwnna!” gwaeddodd Rhodri Lawgoch. “Rhowch o i mi! Fi biau o!” Neidiodd allan o’r car, ond yn ei frys baglodd drachefn a tharo pawb o’i griw ar lawr. Aeth Shadrach yn syth am y parot.

Neidiodd y parot mewn braw oddi ar ysgwydd Dafydd Ddu. “Dos o’ma! Hogyn drwg. Dos o’ma!” sgrechiodd. Roedd yn rhy dew i hedfan ond gallai redeg yn eitha cyflym. Cael a chael oedd hi iddo gyrraedd coeden a neidio i mewn i dwll.

Ni fedrai Shadrach ei ddilyn i’r fan honno, ac eisteddodd o flaen y twll a’i dafod yn hongian allan.

Roedd Dafydd Ddu a'i griw wedi dychryn am eu bywyd. Roedd gweld môr-ladron yn ymosod arnynt mewn car yn beth digon drwg, ond y ci oedd y peth gwaethaf. Doedden nhw ddim wedi gweld ci yn ystod eu deuddeng mlynedd ar y môr. Edrychai hwn yn ffyrnig ddychrynllyd. Roedd y criw ar fin ffoi pan ddechreuodd eu capten feichio crio.

"Fy mharot i!" llefodd yn dorcalonnus. "Rydw i eisiau fy mharot! Mae o wedi bod gen i am ddeugain mlynedd a rydw i ei eisiau o'n ôl!" Ond doedd o ddim yn meiddio ymosod ar y ci rhag i Shadrach ei frathu.

"Fy nhrysor i!" rhuodd Rhodri Lawgoch. "Fi biau o ac mae arna i ei eisiau o'n ôl!" Ond doedd o ddim yn meiddio ymosod ar ei elyn oherwydd roedd Dafydd Ddu yn fwy na fo.

"Bobol bach!" gwaeddodd Llywelyn. "Wnaiff hyn mo'r tro. Fe wn i beth wnawn ni. Dafydd Ddu, rho di hanner y trysor i Rhodri Lawgoch ac fe alwaf i ar fy nghi ac fe gei di dy barot."

Cytunodd Dafydd Ddu gan fod ganddo feddwl y byd o'i barot ac roedd o'n werth hanner y trysor. Cytunodd Rhodri Lawgoch oherwydd fod hanner y trysor yn well na dim trysor o gwbl. A chytunodd Shadrach, er y byddai wedi hoffi cael y parot i ginio.

Addawodd y ddau gapten fod yn ffrindiau ac aeth Dafydd Ddu a'i fôr-ladron yn ôl i'w llong gyda hanner y trysor a'r parot.

Roedd Rhodri Lawgoch yn ddiolchgar iawn i Iorwerth am helpu i gael hyd i'r trysor. Cynigiodd wobr helaeth, ond gwrthod pob dim ond un darn o aur o'r gist a wnaeth Llywelyn ap Rhydderch. "Ac efallai'r botelaid 'na o frandi," awgrymodd.

Dyna bawb yn ysgwyd llaw. Cododd Wil Bach a Gwallter y gist hanner llawn trysor a cherddodd Rhodri Lawgoch a'i fôr-ladron yn ôl i'r llong dan ganu.

"Wel," meddai Llywelyn ap Rhydderch, "rydan ni'n haeddu llymaid bach erbyn hyn." Tywalltodd beth o'r brandi a chynnig ychydig i Huw hefyd.

Roedd dychmygu sut flas oedd ar frandi y tu hwnt i Huw . . .

. . . Roedd o'n union fel sudd oren, yn oer braf.

A dyna lle'r oedden nhw'n ôl ar lan y môr yn gorffen eu picnic. Gwelodd Huw ei bod hi'n wir wedi peidio bwrw glaw erbyn hyn.

"Dyna ti, 'ngwas i," meddai Llywelyn ap Rhydderch. "Fe ddywedais i wrthyt ti am ddefnyddio dy ddychymyg, ac fe wnest ti."

Ac mae'n rhaid ichi gyfaddef ei fod o'n dweud y gwir.

Ond ai dychymyg oedd o? Pan gasglodd Llywelyn y pethau picnic at ei gilydd ar sedd gefn Iorwerth, dyna lle'r oedd potelaid o frandi, darn o aur a het môr-leidr.

Ac roedd gan Shadrach bluen parot yn ei geg.